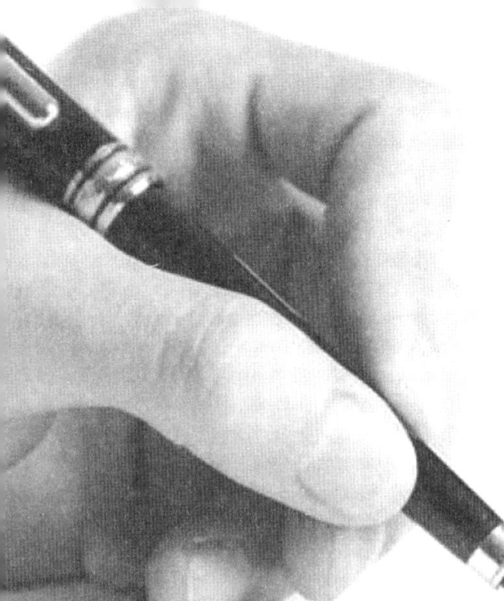

이제 일반인들도 쉽게 쓰는 자서전

자서전 쓰기 강사 민경호가 안내하는 저서전의 세계!!
심리 치유와 기억력 개선 두마리 토끼를 잡는다
내가 직접 쓰는 자서전, 내 책에 내 인생을 담는다!

내 자서전쓰기 실전BOOK

청년기 · 결혼생활편

| 민 경 호 지음 |

세계로미디어

ISBN 978-89-90530-33-2(세트)   ISBN 978-89-90530-36-3(04810)

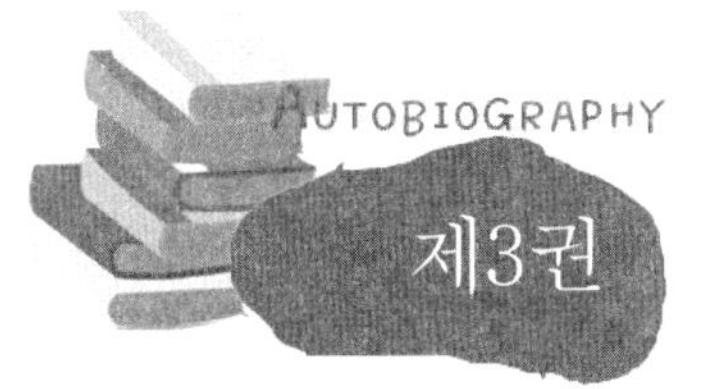

제3권 청년기편 / 결혼생활편

| 연상법 질문지를 이용한 청년기 / 결혼생활기 실전편 |

여러분의 청년기와 결혼생활은 어땠나요? 혹시 독신이시라면 좀 다른 방향에서 접근해 보십시오. 청소년기의 질풍노도의 시기를 거치고 청년기를 지난 후 이제는 좀 더 성숙한 모습으로 사회생활을 하게 된 당신, 결혼으로 가정을 꾸리고 아이를 출산하며 부모가 되는 경험도 했을 것입니다. 사회를 바라보는 당신의 시각도 많이 달라졌을 겁니다.

어떤 사람들은 청소년기까지는 순탄하게 지내다가 청년기에 들어서면서 매우 쓰라린 경험을 하는 사람들도 있습니다. 개인마다 모두 다르기 때문에 어느 한 사람에게 기준을 두고 질문을 하기는 어렵습니다. 보편적인 경우에 대한 질문을 해 놓았으니 여러분의 경우에 맞게 약간씩 변형하여 서술해보시는 것이 좋을 것입니다.

결혼이나 가정생활은 쉬운 것 같으면서도 어렵습니다. 그렇기 때문에 또 살만한 세상이 아닐까요? 우리 인생이 평탄하고 쉽기만 하다면 누가 애쓰고 노력하겠습니까? 여러분 역시 그 숨가쁜 현장에서 매일 매일의 역사를 쓰며 오늘날까지 살아오신 겁니다. 자서전이 가지는 또 다른 가치는 개인이 기록한 역사가 그 사회의 모습을 단적으로 보여주는 기록물이라는 것입니다. 여러분이 쓰신 자서전은 또 다른 모습의 역사책이며 사료(史料)입니다. 야사(野史)가 되기도 합니다. 이 시대를 기록하는 사관(史官)과 같은 심정으로 당신의 역사를 기록하십시오.

1

2

3

4

5

6

7

8

9

10

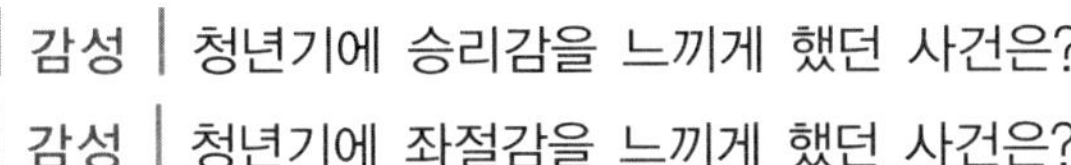

| 감성 | 청년기에 승리감을 느끼게 했던 사건은?
| 감성 | 청년기에 좌절감을 느끼게 했던 사건은?

| 감성 | 군대를 제대할 때 느꼈던 감정과 각오는?
/ 여자라면, 질문을 고쳐서 써 보세요.

| 의지 | 청년기에 몰두했던 일은? 분야는? 좋아서 했던 일은?
| 생활 | 청년기에 연애를 했나? 배우자의 이상형은?

| 생활 | 군 생활에서 잊지 못할 전우가 있다면? / 여자라면, 질문을 고쳐서.
| 생활 | 군대에서 가장 힘들었던 일은? / 여자라면, 졸업 후 힘들었던 일

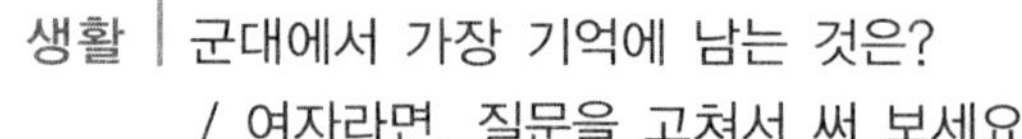

생활 | 군대에서 가장 기억에 남는 것은?
/ 여자라면, 질문을 고쳐서 써 보세요.

| 생활 | 사회 초년생 시절에 가장 중요했던 문제는?

(결혼, 집 장만, 직업 안정 등등...)

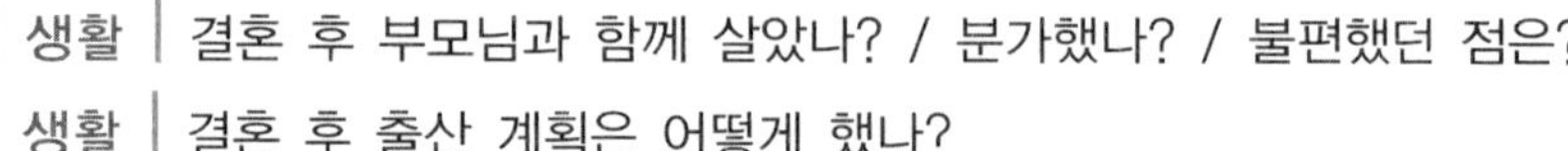

│생활│ 결혼 후 부모님과 함께 살았나? / 분가했나? / 불편했던 점은?
│생활│ 결혼 후 출산 계획은 어떻게 했나?

| 생활 | 언제 첫 아이가 태어났는가? 그때 당신의 나이는?

| 생활 | 출산 후 생활의 변화가 있었나? (직업이나 이사 등등)

│결혼 전│ 결혼 상대를 어떻게 만났으며, 강하게 끌린 때는 언제인가?

│결혼 전│ 가족이나 친구들은 나의 결혼에 대해 어떤 태도를 보였는가?

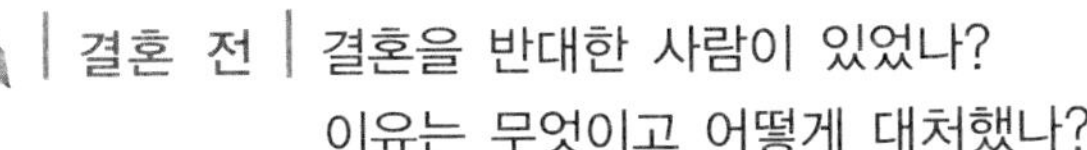 | 결혼 전 | 결혼을 반대한 사람이 있었나?
이유는 무엇이고 어떻게 대처했나?

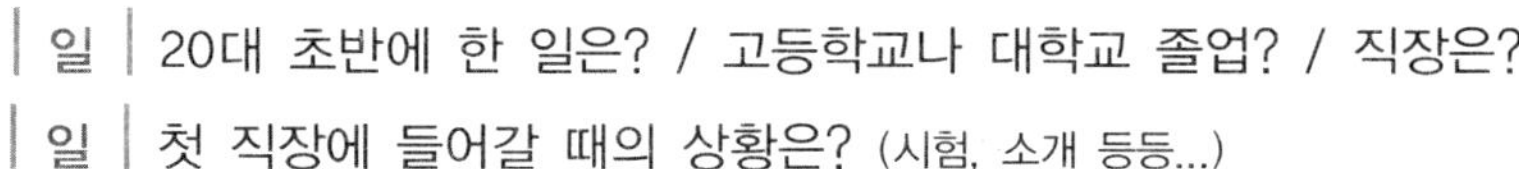

일 │ 20대 초반에 한 일은? / 고등학교나 대학교 졸업? / 직장은?
일 │ 첫 직장에 들어갈 때의 상황은? (시험, 소개 등등...)

| 일 | 첫 직업은 무엇이었으며 왜 그것을 선택했나?

| 일 | 청년기의 직장생활 중 가장 보람 있었던 일은? (업무와 관련)

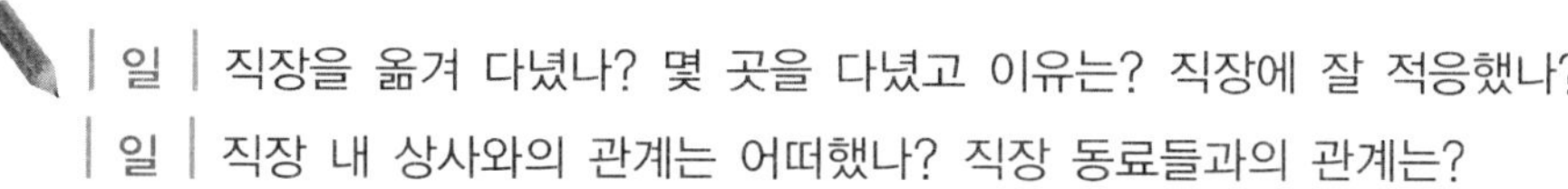

일 직장을 옮겨 다녔나? 몇 곳을 다녔고 이유는? 직장에 잘 적응했나?
일 직장 내 상사와의 관계는 어떠했나? 직장 동료들과의 관계는?

| 가족 | 부모님께 자랑하고 싶었던 일은?
(성공한 모습을 보여드리고 싶다든지 등등)

 | 가족 | 부모님이 나를 믿음직스럽게 여기신 일은?

| 가족 | 부모님이 돌아가실 때 상황을 서술해보라.
／ 살아계시면 질문을 바꿔보세요.

| 가족 | 부모님이 돌아가신 후 자식된 도리를 못한 가장 후회스러운 일은?

│ 가족 │ 집안의 경제적인 형편은 양육과 삶에 어떤 영향을 미쳤는가?

│ 가족 │ 내가 바라본 (아버지/어머니)의 청춘 시절은 어떠했나?

| 관계 | 신혼 초, 부부 사이에는 어떤 의견 차이가 있었나?

| 관계 | 부부가 서로 떨어져 있던 때가 있었는가?

 | 관계 | 신혼 초에 가장 힘들었던 사안은 무엇이었나?

| 관계 | 아이가 사춘기가 되었을 때, 아이와 어떤 관계를 유지했나?
교육은 어떻게?

| 관계 | 이웃은 누구였고 어떻게 교류했나? 가장 친하게 지낸 이웃은?
| 영향 | 자신의 사춘기 경험이 10대 자녀를 대하는데 어떤 영향을 끼쳤나?

| 자녀 | 아이 탄생을 위해 어떤 준비를 했는가?
| 자녀 | 아이가 병에 걸린 적이 있는가? 아플 때 누가 보살폈는가?

| 자녀 | 아이가 어렸을 때 어떻게 칭찬과 벌을 주었는가?
| 자녀 | 아이가 어렸을 때 휴가는 어떻게 보냈는가?

| 자녀 | 아이들은 주로 누가 돌보았는가?
| 자녀 | 아이들의 학교생활에는 어떻게 참여했는가?

| 자녀 | 아이를 보며 가장 흐뭇했던 일은?

| 자녀 | 부모로서 아이에게 가장 전하고 싶은 메시지는?

| 자녀 | 자녀에게 흡연, 음주, 섹스에 대해 어떻게 가르치고 대응했는가?
| 자녀 | 자식들이 어떻게 살아주길 바랐으며 그렇게 되었는가?

| 추억 | 결혼생활의 어떤 단계에서 가장 행복했는가?

| 추억 | 부부가 함께 한 가장 의미 있었던 시간이나 사건은?

| 추억 | 신혼 초의 아름다운 추억이나 회상
| 추억 | 신혼여행에 대해 말해보라.

| 기타 | 청년기에 가장 하고 싶었으나 하지 못했던 일은?
| 기타 | 청년기에 전체 인생설계를 했나? 어릴 때와 달라진 점은?

 | 질문에 없는 본인만의 질문을 적고 답을 달아봅니다 |

 | 질문에 없는 본인만의 질문을 적고 답을 달아봅니다 |

청년기·결혼생활 미니 자서전 (p42~47)

여기에서는 질문에 답했던 내용(글감)을 가지고 3장(6페이지)에 걸쳐 실제로 미니 자서전을 써 봅니다. 여기에 쓰는 글은 습작에 해당한다고 볼 수도 있겠구요, 실제로 한 권의 책을 써내기 위한 워밍업 정도라고 생각하시면 됩니다. 마음의 부담감을 털어버리고 수필을 쓰듯이 펜이 가는대로 술술 이야기를 풀어나가시기 바랍니다.

자서전에 대한 상담과 교육을 해드립니다

이 책을 활용하시면서 궁금하신 점이 있으시면 연락 주세요. 자서전 쓰기 교육 및 상담, 자서전 집필 및 자서전 제작에 대한 안내를 해드립니다. 고객님께서 이 책에 작성하신 것을 저희 사무실에 보내주시면 필요한 상담을 해드립니다. 보내실 때, 원본은 본인이 보관하시고 복사본을 저희에게 보내주십시오. 또한, 필요하신 분에게는 대필에 대한 상담도 해드립니다.

이 책은 실제로 자서전 쓰기 강의를 들으시는 분들께서 사용하시는 교재입니다. 강의는 저자인 제가 직접 합니다. 자서전 쓰기 강의를 수강하고 싶으신 분은 전화로 연락 주십시오. 이 책을 단체 구매시 출장 강의해드립니다. TEL (02)763-2159

민경호의 행복한 내 자서전 쓰기 블로그 http://blog.naver.com/mmbn